KB103243

반쪽난 인생에도 회전목마는 돌아갈까

발 행 | 2024년 05월 20일
저 자 | 하우곰
펴낸이 | 한건희
펴낸곳 | 주식회사 부크크
출판사등록 | 2014.07.15.(제2014-16호)
주 소 | 서울특별시 금천구 가산디지털1로 119 SK트윈타워 A동 305호
전 화 | 1670-8316
이메일 | info@bookk.co.kr

ISBN | 979-11-410-8498-1

반쪽난 인생에도
회전목마는 돌아갈까

햐우곰 시집

여는 말

사랑이니까
그 만연한 단어 뒤에 숨죽여
피어오르는 비겁함 속에서 우리는
평생을 견딜 수 있을까요?

실은 사랑이란 이유일 뿐 정답이 아님을
우리는 압니다, 그 모든 사랑은 그저
한 톨 씨앗이었음을

우리 부디, 사랑하고 또 사랑하되
잠식되지 말아요
그것 만으로 황홀하진 말아요

차례

여는 말

1부
후 불면서 들어와

-

2부

보기 전까지, 고양이는 살아있는 거야

-

3부

나는 죽을 각오로 네 생각을 한다

-

4부

이딴 게 위로가 되나요

-

떨어지는 저 이쁜 꽃잎들은
다 어디로 갈까 네가 물었었지
널 위해 꽃잎을 모아놨어
너는 그냥 후 불면서 들어와
그리고 함께 지켜보자
이 봄의 끝까지

난 너와

만개한 봄의 꽃구경이라든지

쌀쌀한 가을 밤거리 산책이라든지

그런 좋은 날들을 꿈꿨다

언젠가 네가 느닷없이 나라며

애벌레 한 마리를 그려낸 적이 있었다

연신 웃어대는 너를 보며

꿈꾸는 것 마냥 가슴이 뛰었다

이리 행복한 날을 붙잡을 수 있다면은

나는 한 마리 애벌레여도 좋았다

그런 꿈도 있었다

여기는 꽃밭이야
아니 여기는 바다였나
여기는 은하수야

어디건 나는 걸어가
걸어가다 그대로 드러눕지
옷은 조금씩 조각내어 흘리고

저기, 전에 건넨 인사는 그대로니
어딘가 내던져도 좋아
여기는 나비도 하얀 양도 있어

그저 좋은 것들은 마냥 좋은 것이란
멋모름으로, 전에 없던 표정으로
당신을 초대할게

해면 위를 떠도는 어떤 것들을
당신이 푸른 고양이라 말한대도
나는 사랑이라 들을 테고

그 모든 마음을 당신은
보이지 않는다 눈을 감아도
평생 같은 말을 속삭여볼게

여태 참아내던 숨을 쉬어
이 많은 풀과 별과 문장들에도
나는 결코 상처받지 않아

어떤 질문들의 답을 우린
어쩌면 평생을 알 수 없겠지만
완전함은 늘 완전함으로 남을 테지만
유한하게 덧없게, 그대로이길

나는 누군가를 이보다 사랑하는 법을 모르겠습니다

스치듯 지나간
한순간 네 모습이
그리움 되어 번진다

순간의 설렘일까
아니면
설렘이 가져온 사랑일까

떠오르는 한낮의 달
네가 그럴까
내리는 봄날의 소나기처럼
너도 그럴까

설렘일 뿐이라 해도
사랑이 아니라 해도
그저 스쳐가지 말아라
영원히 순간이진 말아라

설레이다

꽃 같다 생각하겠지만 실은
나무 같은 사람이 되고 싶다, 고
저도 모르는 새 잘난 체 섞어
조용히 조용히 너는 말했다

그 모습조차 참도 예쁜 것이
너는 결국 꽃일지 모르겠다
나무만큼이나 강하고 포근한
사시사철 지지도 않는 꽃일지 모르겠다

결국, 꽃

오늘 밤
저는 영혼을 팔 생각이에요

어젯 밤 꿈 속에
달님이 말했습니다
네 영혼을 준다면
당신을 사랑해도 좋다

붉은 단풍이 지어가고
헐벗을 준비를 하는 나무들의 계절
이 계절의 밤에 자리한
내 영혼 그리고 당신

거짓처럼 찬 바람 불고
기적같이 둥근 보름달 아래서
제 영혼 팔아 있는 힘껏
당신에게 외쳐볼 생각이에요

단 한 마디
당신에게 들릴 수 있다면
단 한 글자가
당신에게 닿을 수 있다면

이 깊은 밤 계절의 입구에서
저는 기꺼이 영혼을 팔 생각이에요

*영혼을 팔기에 좋은 계절

* 피아노 포엠, 영혼을 팔기에 좋은 계절, 2010

외투 주머니에
웬 벚꽃잎이 들어있었어

너와 걸어온 봄에
우연히 들어갔나봐

잔잔한 바람에도
흩날리는 벚꽃 사이에서

어린애처럼 좋아하면서도
아쉬워하는 너를 보며

너만큼이나 선명한 내 모습은
왜 그리도 마냥 행복하던지

주머니 속 이 꽃잎처럼
문득문득 기억 됐으면 좋겠다

그 봄날의 너는 참 눈부셨지
그랬지, 너는 봄이었지

너는 봄이었지

생각에 잠길 수 있다
그게 꽤나 아플 수도 있다

넌 마음이 깊고 고와서
보통은 그저 흘려보낼
생각의 작은 물결조차
마음둑에 곧장 담아두니까

바라건대 무너지지 않기를
그 둑 매우 높고 단단해
모든 생각도 아픔도
그저 네 마음 깊이 되기를

그리고 감히 바라건대
내가 너를 생각하는 마음이
네 커다란 둑 어디 한 켠
작은 틈 하나쯤 막아주었기를

괜찮은 사람, 괜찮을 사람

나는 평범하고 또 평범하길 바라여
꽤나 만족스런 삶이었으나
당신께만은 특별하길 바랍니다

실로 그러할지 당신만이 알 일이겠지만
당신과 오가는 길들에 피우던 꽃들은
분명 그러했습니다, 당신은 보고계십니까

하루하루 꽃들은 어김없이 피어납니다
이미 이곳저곳이 미어터집니다
조금의 빈틈도 없습니다

그러니 우리는 더 많은 곳에 가야겠습니다
그 반경을 넓히는 것에 더욱
깊은 관심을 쏟아야겠습니다

이 많은 모든 꽃을 다하여도
홑씨만큼의 티 하나 찾을 수 없고
어느 송이 귀하지 않은 것 없으니

시들지 않는 한, 그것은 영원한 좋음일 것입니다
우리는 눈을 마주한 채 손을 잡습니다
입을 맞추고는 적당히 걷습니다

이 모든 것이 당신과 나란 자욱입니다
무한한 모음의 정의입니다

우리 그걸 사랑이라 부르기로 해요

세상이 비로소 세상답기 시작한 것은 언제쯤이었을까
나는 행복한 법을 몰라 웃는 법을 배웠고
상처 주는 법을 몰라 사랑을 말하곤 했다

모든 것이 실은 한 짝이었다고
완전히 그랬다고 말하는 것이
퍽이나 이상스러울 수도 있다

그러나 그 언제쯤부터의 당신은 그저 그대로여도 좋다
내가 웃으면 그저 행복한가 넘겨짚어도
내가 말하는 것이 그저 사랑이라 믿어도 좋다

그렇게 당신은 아무렇게나 있어도 좋다
당신이 내게 주는 것이 사랑인지 상처인지
나는 구분하는 법을 모르고
내 행복도 헤픈 웃음도 실은
당신 마음과 그리 멀지 않다

그러니 당신은 아무렇게나 있어도 좋다
평생을 그리 살아보아도 좋다

그저, 그대로, 당신

너와 걸어온 봄에
따스한 햇살이
나긋한 바람이
흩날리는 벚꽃이 참 좋았지만

사실은 정말로 신이 났던 건
내 옆에 네가 마냥 웃고 있었고
그 모습이 퍽이나 아름다웠고
그런 너와 내가 함께였기에

지지 않는 꽃 없고
지나지 않을 계절 없다지만
바라고 바라며 함께 걷는다
이 봄, 끝나지 않길 바라며
네가 끝나지 않길 바라며

봄, 너

2부
보기 전까지, 고양이는 살아있는 거야
-

너를 두고 나는
번복하는 일이 많았다
뒤 한 번 돌아보는 일이 없는 네게
이 다음, 그 다음
의미도 없는 한계선을 다시 긋곤 했다

갑작스레 지구 궤도에 나타난 물체는
다름 아닌 54년 전의 로켓 부품이었어

다른 무언가를 위해 온 힘을 쏟아내고
버려진 채 떠돌고 돌다 우연히 돌아와
바라본 지구는 어땠을까 궁금해져

아, 그가 전부를 희생해 날려 보낸 로켓은
착륙에 실패한 채 추락하고 말았대
어쩌면 그는 비참한 이런저런 말들보다
그 사실에 더 아파하진 않았을까

서두가 길었네

그저 잘 지내냐는 말을 묻고 있어
넌 여전히 여전하느냐고
난 어느 별 어느 별 중력에 의지해 우연을 떠도는 중이라고
네 비행은 순탄하길 바란다고

*2020 SO

* 2020년 지구 궤도에 나타난 미확인물체로, 1966년 발사된 달 탐사선
의 로켓 부스터로 밝혀졌다. 1966년에 발사된 이 탐사선은 추진기 고장
으로 달에 충돌하며 최종 실패했다.

늦은 엇저녁 산책길에
보이지도 않는 벚꽃 잎이 날아든 걸 보니
어느새 봄이 완연했습니다

봄을 좋아하던 당신 생각에
한두 번도 아닌 것이
올해 봄도 녹록할 것 같지를 않고
어찌 피어 겨우내 지지도 않은
창가의 선인장 꽃을 보다
나도 지내다 보면 꽃 피우고
그 채로 봄 볼 날이 올까
그런 생각도 해봅니다

본격적으로 당신이 그리울 준비를 하는 중입니다
올해 봄도 시작되었고
다음 봄까지 할 일이 많습니다
그래도 가끔 당신 안부를 물을게요

이번 봄도 잘 견뎌내 보겠습니다

이번 봄도 잘 견뎌내 보겠습니다

너를 만나고 헤어지는 내내 내 얼굴과 옷 여기저기에는 찌질이 덕지덕지 묻어있었다
나는 주었고 너는 받았는데, 우리의 만남은 늘 이런 식이었다
해야 할 말 같은 건 언제나 하지 못하던 나는
언젠가 네가 좋아한다 말했던 과자를 건네며, 또 밤늦게 일하는 네게 커피를 사다 주면서도
늘 아무것도 아닌 척, 당연한 것처럼 그저 네게 줄 뿐이었다
그런 내게 너는 항상 고맙단 말을 꼬박꼬박 건넸다
네 입을 막은 것이 네 마음인지 한심한 나였는지 모르겠으나
나는 참 잘 주었고 너는 참 잘도 받았다

내게 네게 그럼에도 받은 많은 것들 중에서
가장 좋았던 것은 바나나 맛이 나는 우유였다
내가 이 우유를 좋아한다는 것을 네가 알고 있었는지
아니면 그저 진열대 가장 가까운 곳에 놓여있어서인지
진실이 어떻든 그날 네가 사준 우유에서는 변함없이 바나나 맛이 났다
너는 좋은 것을 주었고 나는 좋은 것을 받았다
내가 바란 것은 이뿐이었는데, 너는 무엇에서 부족함을 느꼈을까
나는 이리도 좋은 것을 받아본 적이 처음이라 그 이유가 내내 궁금할 뿐이었다

네가 사준 우유에서는 바나나 맛이 났다

가을비 소리를 듣고 있자니
언젠가 울고 있던 네 생각이 난다

건물새 작은 벤치에 앉아
잔뜩 소리 내어 울던 너는
뭐가 힘들다며, 다 싫다며
그리 하소연을 해대었다

그 모습이 퍽이나 귀여워
피식 나도 몰래 웃어버렸는데
더 크게 울기 시작한 네 탓에
적잖이 당황을 했었지

미안, 그때 참 행복했었다
너도 그리 여겨주면 좋으련만
어찌 되었건 미안
난 그때가 퍽 그리워진다

왜, 지나고 나면 별게 다 그립잖아

나는 너를
보지 않고 듣고 있어
그건 얼핏 멀어 보이지만
실은 더욱 가까우니 가능한 일이겠지

너는 애써 도망치지 않고서
멀어지는 법을 알고 있고
나는 허전히 상처받지 않고도
무너지는 적이 많았어

곧 이 계절은 홀연히
나를 향한 한 점 셈도 맘도 없이
하얗디 하얀 눈발 날려올 텐데
맞이할 설원에서조차 나는 숨 쉬게 될까

그렇게 나는 너를
헤매지 않고도 안부를 물어
놓친 모든 계절을
겪지 않고도 추억에 잠겨
(노랗고 또 짙게 파란) 꽃잎으로 된 서표 같은 것들을 그예
받은 적 없이도 버리고는 해

나는 이제 널 그리워해

꽤 쌀쌀했던 밤

우연히 걸어가는 널 봤고

여전히 무표정인 얼굴로

시선은 바닥에 처박은 채

뚜벅뚜벅 잘도 걸어가는 네 뒷모습이

왠지 모르게 아파 보이는 그 모습에

나도 괜스레 아팠다

그 사실이 내내 난 억울했다

아파 보이는 네 뒷모습에 아프단 게

정작 너는 아픈 건지 아닌지도 모르면서

나는 분명히 아프단 게

환상통

세상 살다 언제 한 번쯤 무너질 것 같은 날에
너도 날 떠올렸으면 좋겠다
그냥 피곤한 날 말고 그냥 외로운 날 말고
사람 많은 사거리, 문득 신호등 빨간불이 보이고
당장 주저앉아 울어버리고 싶은
그런 날이었으면 좋겠다

그날 네 빨간불이 대체 무엇이었는지
나는 영영 알지 못할 것임이
그때의 내게 위로가 되기를
잊혀진 도로 고장 난 신호등처럼
상관없이, 거리낌 없이
언제고 그저 지나쳐가기를

신호등

애,

너의 잦은 행운과 미소가

또 꽤나 특이한 취미였던 가야금 같은 좋은 것들이

내 슬픔에 얼마나 한 위로였는가 얘기하면

너는 어떤 표정을 지을까

네 그 작거나 크고 또 잦거나 드문

많은 도구들의 알지 못할 공정 속에서

환원되던 내 수많은 감정들은

결국엔 (나는 알지 못했지만) 착취라 여겨졌을지

너는 내내 억울함을 느껴

그리 정중하게 안녕을 말했을까

아니면 되려 안심하고

단 한 번 기회도 없이 돌아섰을까

뚜벅뚜벅 잘도 걸어가던 모습만큼이나

찰나이던 마지막 순간에 멈춰 내내 생각해

너는 돌아올까 (돌아오지 않았다)

너는 어떤 표정을 짓고 있었을까

나는 알 길이 없고, 조금은 다행이라 생각해

벗아

너를 보고 있자니 그때가 생각나

상처일 줄 알면서도 어여삐도 흩날리는

네가 너무 고와 그 애가 생각나

뚝뚝 떨어지는 꽃잎에

무던히 맞은들 아프지도 않아

그런 네가 가여워 비밀 하나 알려줄까

나는 그 애가 밉지 않아

그저 가는 실바람에도

한 움큼씩 사라져가는 네 아래

사뿐사뿐 그 애의 걸음걸이뿐이야

네 아픔으로 가득 찬 이 거리에

나는 울지도 않고 그리움을 쌓아

이 길 함께 걸었다면 좋았을걸

정녕 너도 나도 숨죽인 이 밤에

그 앤 또 누구의 봄을 지우고 있을까

봄, 밤, 벗, 걸음*

* Neal K, 아씨 걸음, 2018

만약에 내일

예를 들면 아침에 눈을 뜨자마자 말이야

네가 갑자기 사라졌다고

무슨 일인지 먼지처럼

봄날 아지랑이처럼

온데간데없이 훌쩍 떠나버렸다고

그런 이야기를 전해 듣게 된다면

나는 어떤 기분이 들까

너는 평판이 좋은 아이였으니까

많은 사람들은 슬퍼하고 걱정할 거야

있지, 나도 일단은 슬퍼할 것 같아

상상을 한번 해봤단 말이야

일단은 슬퍼할 거고 걱정할 거고

안절부절 못할 테지

그런데 시간이 지나면 지날수록

나는 이상한 기분이 드는 거지

어, 왜 슬픔은 가라앉고 걱정은 옅어지는 걸까

다름 아닌 바로 네가 사라졌는데 말이야

처음 네 얘기를 전하던 친구의 다급한 목소리에

덩달아 벅차오르던 감정은 걷히고

나는 끝내 내게 닥친 너의 상황에

그 익숙하다 못해 지겨운 일상의 모습을 발견하고 마는 거야

너는 꽤나 현명한 아이였으니까

너는 죽지는 않았을 테지
살아는 있는데 말이야
어딘가에서 멀쩡히 숨을 쉬고
누군가와는 대화도 하고
그러다 가끔 웃기도 하고 그럴 거야
너와 내가 함께 들어갔던 카페에서
끝내 함께 나오지는 못했던 그날 이후로도
여전히 몇몇의 사람이 시시각각 드나들고
언제나처럼 내려지고 있을 커피 마냥
내게는 너무나도 당연해 왔던 이 상황이
나를 끝끝내 무감하도록 만들고 말 거야
내 멋대로 한 상상과 결과 따위에
미안하단 말도 참 웃기지만 나는 그래
너의 어떤 행동도 네가 처할 어떤 상황도
슬픔이라든지 걱정이나 염려라든지
불안이라든지 혹 그리움이라든지
내겐 그 어떤 것도 느끼게 하지 않을 것만 같아
나는 이제 다 괜찮아
죽지만 말아

나는 이제 다 괜찮아, 죽지만 말아

3부
나는 죽을 각오로 네 생각을 한다

-

땅바닥에 머리를 처박고
죽을 듯, 피라도 철철 나는 듯
울면서 울부짖으면서
난 무엇을
아, 난 네 생각을 했다

네가 잠시 잠깐의 순간조차
날 생각한 적이 없었다면은

너로 인해 쓴 내 시간들은 대체
무엇이 되어 버렸단 말이지
네게 보낸 그 많은 마음들은 대체
전부 어디로 사라졌다는 말이야

이리 따끔거리는 걸 보면
가시난 풀이라도 피운 걸까
아니 이리도 사무치는 것을 보면
어딘가 여전한 것이 분명한데

널 향한 후로 모든 순간을
나보단 네 맘이 먼저였으니
이건 없던 시간이야
없는 마음이야

영영 결국 비우진 못할 테지만

네가 조금도 날 생각한 적이 없었다면은

네가 와도 좋다 한마디만 해주었다면
난 어디든지 갈 수 있었다

그렇게 난 평생을 가만히 있을지 모를 일이었다

손 내밀면 닿을 거리 그 지척에서도
넌 단 한 번 날 부르는 적이 없었으니까

그래서, 다른 이유는 없어

그래 너는 나를 죽였어
그토록 애타고 아름다운 방법으로
천천히 숨을 앗아갔어

그러니 나는 너를
내가 조금도 원하지 않음에도
나는 너를 죽일 수도 있었어

네가 바라는 대로 바라는 방법으로
어떻게 해야 할지 도무지 알 수가 없어
누군가를 죽이는 건 처음이라

오래도록 들리는 신음소리
멈출 줄 모르는 눈동자
쏟아지는 피 붉게 젖은 손

사실
죽고 싶지 않아

죽고 싶지 않아

상사(相死)병

하늘에 구름 한 점 있든 없든
그 색이 바다를 많이도 닮았든 말든
그래봤자 거기 너는 없어

네게 속삭이던 모든 말들이
이제 그저 혼잣말로 허공에 흩어지겠지
널 위해 가꿔놓은 모든 꽃들은
어쩌면 그저 나만을 위한 것이었을까

눈부신 하늘 아래 바다가 찰랑여
그래봤자 거기 너는 없지만
밤이 되면 어딜 봐도 온통 꽃밭일 거야
그 반쪽은 그저 세상일 뿐이겠지

세상이 아름답다는 얘길 하고 있어
네 반짝이는 목소리는 여전히 그립지만
아주 조금만 더 쉬다 갈게

세상이 아름답다는 얘길 하고 있어

받아지지 않는 사랑은
없는 사랑이다
사랑이 아니진 않으나
존재하지는 않는 사랑이다

사랑은 혼자 하는 것이 아니라는
그 간단한 사실을
나는 기어코 받아들이지 못하고

사랑이다
이게 사랑이다
있지도 않은 사랑을 움켜쥐고
이곳저곳에 내밀고는 했다

사랑에는 힘이 없다

너는 어쩌면 세상을 조금은 허투루 살아도 되지 않을까
이 세상과 나의 세상의 결이 정확하게 일치하는 것이라면
나의 시간과 너의 시간의 전부가 다른 어떤 곳으로도 흘러가 버리지
않는 것이라면

그런 얘기를 들은 적이 있다
내가 너를 만나지 않았을 우주의 존재에 대한 이야기
내가 그저 나의 시간을 성실히 살아가는 우주의 이야기

그 평행의 우주들 속에서 나는 위로를 찾았다
어쩌면 어떤 나는 지나치게 행복한 삶을 살진 않을까
그러나 결국 믿기진 않았다

나의 나에 대한 무책임함에 죄책감이 밀려왔다
무언가를 알아버린 뒤의 세상은 그전으로는 절대 돌아갈 수 없으니까
단 하나의 또 다른 세상의 존재조차 나는 받아들이지 못하였으므로
나는 결국 하나뿐인 삶을 내가 아닌 이를 위해 살아내고 있었으므로

그럼에도 나는 매우 이성적인 사람이라 걸맞은 이유를 갖다 붙여대기
시작했다
그 이유 없는 고민을 내가 대신할 것과 그 부질없는 걱정도 내가
대신할 것
유일의 이 세상에서 너의 쓸모없는 모든 것의 적량을 대신 채우는 것
너를 향해 내뱉던 그동안의 무의미한 위로가 가질 수 있는 의미의
확신

그때 나는 도무지 알 수 없는 진리에 신의 필요성을 처음 느꼈다
나의 이성이며 지성이라는 것들은 온통 신기루와 같아서
이 얘기에 끄덕이는 모든 이들이 나의 신 나의 세상이었다

한 줌, 나란 세상의 물리학

고를 필요도 없이 쥐여준 내 가장 좋은 것들은 그저 무용한 성가심이었지
온 맘을 모아 건넨 위로라는 것들은 그저 불편하게 치이는 걸림돌이었고
그러면 나는 무엇이지 문제투성이인 마음인데
욕심부리지 말았어야지 용기 내지 말았어야지 다 내 잘못이었던 걸까
그렇지 네 마음이 그랬으니 내 마음은 그런 거지
나란 잘못 나란 문제 나란 마음의 표상
그 눈물 나리만치 악의 한 점 없는 가학성

존재의 가학성

찬 바람 불든 말든

까치가 새하얗게 얼어 죽든 말든

그 무엇도 너와는 관계가 없을 텐데

그 당연한 걸 아직도 모르고

춥다, 너도 춥진 않을까

4부

이딴 게 위로가 되나요

-

시인도 나도 훌륭할 게 없으니
시는 위로가 되질 않지
나는 마음에 드는 시 한 편이 없고
결코 시인 같은 건 될 수 없겠다

아침에 눈을 떴을 때
창밖에서 비치는 밝은 햇살이
내 맘속 어떤 빈방에도 들지 않길래

운 좋게도 바닷가에 살아 맞는
잘게 부는 바닷바람에
왠지 모를 눈물이 나길래

나는 그저 내일도 호흡하겠으나
그렇게 이어질 생명이란 고작
오늘만큼도 되지 않을 것을 깨닫고는

애달프도록 천천히, 천천히
하루하루 죽어가고 있었다
오래도록 느린 자살이었다

느린 자살*

* 요시모토 바나나, 그녀에 대하여, 민음사, 2010, p10

- 나의 기도
내가 당신을 미워한들
나의 신은 당신을 용서할 텐데
그럼에도 당신이 나쁜 사람이라 다행이야

- 당신의 신에 드리는 기도
자비롭게 하소서
고작 당신에 눈이 멀어
날 아프게 한 그 많은 것들을 잊지 않게 하소서
내게 쌓인 모든 깃털을 건드려
모든 상처 하나하나의 무게를 묻게 하소서

- 당신에게
당신처럼 나의 성장도
당신처럼 누군가의 위로도
당신이 손에 쥔 어느 것도 외면한 채
상처 주는 아픔은 오롯이 견디는 거야, 모르지
당신에게 -

이유도 남지 않는 흉터에 이름을 새겨
그저 내가 준 강함만큼만 무너지게 하시고
그저 대신 겪은 고통만큼만 상처받게 하소서
당신의 신에 드리는 기도 -

당신의, 또 당신의 등을 꺾을 마지막 깃털에
부디 내가 아닌 당신을 보기를
그럼에도 남아 있는 마지막 사랑을 담아
나의 기도 -

자 이제 당신 하나하나를 밟고
내가 천국에 오를 차례입니다

, 지옥에서

탄원(歎願)

어쩌면 난 저 달인지 몰라
요새는 그리 캄캄하지만은 않은 밤에
그럼에도 외로움 누명을 뒤집어쓰고는
이리 찬 밤공기가 내 탓은 아닌데 말이지

그리곤 낮이 되고 해가 뜨든, 해가 뜨고 낮이 되든
그때의 난 어쩌면 한낱 저 빛덩어리인지 몰라
작은 벌레건 피워낼 꽃봉오리건 상관없을 일이지
난 그저 빛을 뿌려댈 뿐인데 말이야

그렇게 나는 살아가는 대로 살아가는 거지
나는 나를 이유로 온갖 것에 푹푹 베이고 찔리는데
그게 온통 나를 향한 티 없는 사랑이라니
어쩌면 난 이 세상 전부일 지도 모를 일이야

살아간다는 건 그 자체로 의미 있는 일이야?

마냥 어리지만은 않던 열일곱에 처음으로 손목을 그었다

그 뒤로도 자해 자해 자해 자해하다 언젠가는 정말로 죽어버릴까 늘 걱정이었다

돌이켜보면 변할 수 있는 순간들이 있었다 행복해질 것만 같은 순간들이 있었다

그러나 알지도 못하면서 모두가 알지 알지 건네는 말처럼 기대가 사람을 죽이고

희망이, (원래는 재앙이었다던 희망이, (내겐 왜 그대로였을까)), 사람을, 나를 죽여왔다

이리 보니 나는 아직도 무너지고 있었다 나는 아직도 무언가를 잃어가고 있었다

그 사실이 참 아프면서 나를 안심시켰다

아직은 죽지 않겠구나

여전한 그 재앙과 안심에, 당분간은 죽지 않겠구나

심심한 안부를 전해요

하나둘 나이를 먹는데
어른에 가까워지곤 있는데
내가 생각한 거랑은 딴판이네

갈수록 여유로워져야 되지 않나
마음이든 뭐든 넓어져야 되지 않나
생각한 거랑은 정말 딴판이야

속은 더 좁아지고
옹졸해지고 추해지는데, 이게 맞나
아 눈 하나는 조금 넓어지는 것이

이 사람 저 사람이 눈에 들어오는데
그게 또 죽을 맛이던데, 다들 그런가
나만 힘들다고
나만 이렇게 아프다고
나밖에 몰랐던 때가 훨씬 행복했지, 맞나

나이는 먹고, 어른인지는 모르겠어

가벼운 반주
그렇게 시작했으나 역시
시원히 걸치고 나선 길에
해가 대낮처럼 환하다

그 볕에 기분이 참 좋은 것이
뭐라도 된냥 이 풍경 이 빛
나 때문이기라도 한 듯 마냥
잔뜩 거들먹거리기도 하면서

너 때문이 아니야
당연한 거야 어쩔 수 없는 거야
초를 쳐대는 이것저것들에
나도 그래 어쩔 수가 없는 거라

한바탕 욕지거리를 쏟아내고
생각 없는 척 사람 좋은 척
무심한 척 아무 흠 없는 척
애써 껄껄 웃음보를 터뜨리면서

낮술

내 의미 없는 들숨 날숨에 속은 모든 이들에게 심심한 사과를 전해요

미안해요

나도 그런 척 다 이해하는 척 고개를 끄덕여봤어요

바로 어제 직접 겪은 일 마냥 분을 토해 쏟던 열변은
언젠가 보았던 드라마 주인공 대사였어요

생판 남이던 아무개가 내 죽음에 궁금증을 품고
마음속 순서 끝번의 사람마저 한눈을 팔던
바로 그때 나는 정말 죽어버렸으니까

죽은 자는 말이 없다는 말 있죠
맞아, 그저 생각할 뿐이에요

실은 당신네 모든 이야기가 애들 장난 같아요
또 실은 당신들 모두 별것도 아닌 일들에 이리 뛰고 저리 뛰는 천치들
이야

거기서 거기인 각자의 사정에 특별함을 부여하고는
나와 같은 시선으로 다른 이를 바라보죠
죽은 자의 시선으로

그럴 때면 나는 생사의 오싹함을 느끼고 이내 다시 생각해요

당신네 들숨과 날숨에 어떤 의미가 있는지
내 죽음에는 과연 어떤 의미가 있을지

'모두에게 행복을 빌어.'
그의 유서에는 이렇게 쓰여있었다

조금은 어른이 되었다고 믿었으나

아직 철저히도 어리숙한 모습을 발견하고

이제 알 것 같다 믿었던 모든 것들의

실 털 한 올조차 모름을 깨달았을 때

나는 비로소 성장하고 세상의 무언가를 알아가는 걸까

천천히 천천히 조급해하지 말고

수없이 들어온 그 말들에

더 이상 반응하지 않는 마음을 부여잡고

무엇을 믿어야 할까 세상과 나의 시선 앞에서

그 고민만큼은 놓치고 싶지 않았어

바라는 모든 것들은 세상 쪽인 것만 같아서

움켜쥔 조금의 것들도 그리로 향하는 것만 같아서

사실은 나도 같은 방향이다

이건 거짓말일까 의심조차 버린 채로

너에게, 너에게

성장통이란 거, 믿을 수 있는 건가요

당신들이 애써 무너뜨린 탑은 아무 말이 없다
그네들 하나하나 얼마만큼의 벽돌을 허물었는지
그 지분에 대해서도 함구해도 좋다
폐허가 된 탑은 다시 꿈을 꿀 일 없고
어쩜 잠시 잠깐 볼멘소리를 하겠으나
실상은 알고 있다
부서진 채 닳아 먼지가 된 벽돌 전부가
부둥켜 웃어주던 당신들이었으니
지금 이 비극도 어찌 보면 합리적이라 하겠다

그러니 안심해

그저 웃으면 되는 걸까

그래도 이 정도면 괜찮은 거라고
나 정도면 행복한 삶이라고
그저 스스로 위로하면 되는 걸까

사실은 조금도 행복하지 않으면서
그 어떤 위로에도 위안받지 못하면서
매일 아침 눈을 뜨고 살아가면 되는 걸까

지금에 만족하기에는 너무 불행하고
위를 바라기엔 너무 막막했기에
아래를 보면서도 나는 죄책감이 들었다

그때 어린 우리는 이런 얘길 나눴다
어린 너와 나, 이야기의 시작은 누구였는지
그 시작도 공감도 이제 더는 중요하지 않았고

어찌 됐건 그날의 나는 저런 말들을 일기에 적었다
가끔씩, 너무는 아니고 적당히 힘든 날이면
종종 꺼내 보며 그럼에도 행복해지리라 다짐하곤 했다

혹시 그날 너도 일기를 쓰진 않았을까
망가진 서로, 내기하던 불행은 네게도 쉬웠을까
말없이 포갠 네 손은 왜그리 따뜻했을까

나는 언제고 네 유서의 내용이 궁금했다

반쪽난 인생에도 회전목마는 돌아갈까

최선을 다하지 않기 위해 최선을 다한다는
이 모순적인 문장은 얼마나 슬프고 아름다운지

최선 뒤에 마주할 시간은 하루의 언제쯤일까
적어도 늦저녁 즈음은 아니길 바랐는데

그 잠깐의 시간이 너무도 두려워서,

나는 주사위를 내려놓았다

마주하지 않고 상자를 닫았다

한 뼘만큼의 구덩이를 파묻었다

던져지지 않은 주사위의 눈금은 무엇이었을까

꿈은 꿈으로 남겨두려고
평생 희망의 끈을 놓지 않으려고

눈을 감았다

손으로 가렸다

음 음 소리를 냈다

사실 울고 싶던 건 아니었는데

최선을 다하지 않기 위해
최선을 다한다는 모순에 대하여

5부
다시금 다시금 깊어져볼까
-

바라만 보아도 바람은 분다
만지지 않아도 꽃은 핀다
손 뻗지 않아도 봄은 온다
당신, 그리고 나의 봄이 그렇다

내가 뺨이라도 세게 맞은 것 마냥

쓰러지고 상처가 나

그리 아프게 주저앉았을 때에도

세상빛이 꺼지지는 않더군요

별은 여전히 빛나더라구요

그제서야 조금은 알겠더군요

세상은 세상, 나 역시 그저 나인데

그럼에도 위로가 되는 것은

나 역시 세상빛이었음을

어쨌든 별은 빛나고 있음을

그저 별은 빛나네요

때를 놓치면 사라져
때가 되어도 사라지고
결국 갖지 못한 무언가는
또 어디선가 빛나겠지

이 도시에서
무언가를 사랑하는 방법이
품에 끌어안는 것만은 아닐 텐데

그게 대체 무엇인지
대개는 잘 알지도 못하면서
어떻게 나는 매번 매 순간을
한 치 의심도 없이
그리도 온맘을 다할 수 있는지

다칠 수도 있고
상처받는 적이 많았어
그럼에도 새까맣게 잊는 거지

결국 살아간다는 건 그런 걸까

이번에는 달라
내 생에 언제 한 번쯤
그게 지금이라고

결국 살아간다

적당히 상처받는 것은 세상일이고

그마저 날 위한 것일 텐데

그저 상처받는 것은 세상도 아니고

내 안의 일도 아니며

조금도 상처받지 않는 온전한 평온

그것만을 바라는 마음으로

내 세상은 그렇다는 오만으로

자기-기만(欺滿)

봄꽃을 보다 보면
좋은 사람이 된 것만 같은 기분이 든다
봄바람을 맞다 보면
따스한 사람이 된 것 같은 기분이 든다
좋은 건 꽃이고 바람인데
나랑은 아무 상관 없는데
그렇게 봄은 나로 하여금
다시금 나를 믿어 보게 한다

봄

쉬이 뱉지 못한 말들은
실은 허공에 떨어졌습니다
시시각각 흩어지는 말들을
우리는 주워 담을 수 없습니다

정제되지 않은 말들은
때를 놓쳐 튀어나온 것들도
부러 버려진 것들도
치이는 조각조각이 꽤나 닮아 있습니다

이토록 마음이란
모두가 비슷한 날것에서 시작하여
예외 없이 수많은 한심을 뿌려대고는
그 끝은 이리도 다를 수가 있습니다

말
그리고 그 속의 마음 또한
애초의 목적지를 품고 있다는 것을
모르는 이가 없으나 쉬이 닿지 못합니다

말을 하고
마음을 담습니다
이의 역순이란 완전해 보일지라도
실은 불가능한 것입니다

(작은 틈 하나에 큰 둑은 무너지고, 모든 것을 알지언정 도움 되는 것
이 없습니다)

우리는 때로 그저
보고 싶은 만큼만 봐도 될지 모르겠습니다
딱 한 뼘 눈앞에게서 그칠 수 있다면
그 마음은 내내 평안할지도 모르겠습니다

대화(對話): 마주 대하여 이야기를 주고받음

내가 반짝반짝 빛이 나는 별도 달도 될 수는 없다는 걸 깨닫는 과정이 그리 순탄치는 않았다

언제고 빛나는 태양을 바란 적도 없었고 그저 누군가에겐 나도 소소하게 빛나는 존재이고 싶었다

언제부터였을까 나의 작음이 이리도 크게 느껴지는 것은

또 언제부터였을까 너무도 잘 알고 있다 생각했던 스스로가, 나의 빛이, 나의 어둠이 뭐가 빛이고 뭐가 어둠인지 더는 구별할 수 없게 되어 버린 것은

나에 대한 기대를 낮추고 자존감을 덜어내고 나의 나된 모든 것을 웅크렸어도 그럼에도 여전히 내가 남들보다 못한 존재라고는 생각되지 않았다

난 못났으나 어떤 누구도 마찬가지지, 내가 추한 만큼 누구라도 추한 거고 내가 아픈 만큼 당신들도 아프지

그러니까 네가 빛나는 만큼 나도 빛나지 않을까

네가 나의 별이듯 나도 누군가의 별이진 않을까

네가 별인 걸 너는 결코 모를 것처럼 나 역시 그런 것은 아닐까

아니 그런 거겠지, 분명 어느 쪽이든 진짜가 무엇인지 알 수 없는 문제라면

사실과 증명의 문제가 아닌 믿음의 문제라면 난 언제나 속도 없이 좋은 쪽으로 해왔으니까

나는 별이고 달인 거야
반짝이는 어떤 것인 거야
누군가에겐 나도 그런 거야

나도 누군가의 별이진 않을까

공원 벤치 멀리
웬 자동차 헤드라이트가 켜 있어
눈은 부신데 그게 뭔가
날 비추는 것만 같아서
누구 한 명쯤 날 보고 있는 것 같아서
쓸데없이 부담스럽고 그게 나쁘지 않았어
웃기지 술도 한 잔 못하는 게
시원한 맥주 한잔은 왜 이리 간절한지
오지도 않은 여름밤 열대야처럼
온갖 청승을 떨어대며 몇시간을
뭘 채워보겠다고 이러고 앉은 걸까
안녕, 거기 듣고 있어?

외로움 그게 꼭 나쁜 것만은 아니던데

나이가 든다는 것은
청춘 없이도
움켜쥔 것 없이도
스스로 빛나는 법을
알아가는 것이겠지
그 시절 당신과 청춘이 빛나던 것은
청춘이 아닌
당신 때문이었음을 알아라

우리가 여전할 수 있다면

맺는 말

세상에 날 아프게 하는 것들이 너무도 많아
상처가 나고 또 나고 때때로 무너지는 때에도
나는 어디를 향할지를 몰라
소리 한 번 내지를 수가 없었다

그럼에도
쥔 적도 없는 희망은 끝끝내 놓질 못해서
잠시 잠깐 무녀질 때면 속절없이 다 잊는 적이
많았다

그러니 당신네들 모두 행복해도 좋다
그 속에서 상처받고 상처 주어도 좋다
사랑에는 힘이 없듯
그 반대도 마찬가지이므로